Dropjes

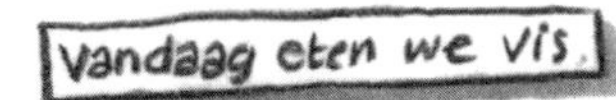

Wat maakt dat nou uit

Daar geloof ik niets van!

Daar geloof ik niets van!

Maria van Eeden
Met tekeningen van Juliette de Wit

avi 7

1e druk 2007
ISBN 978.90.276.7445.6
NUR 282

Uitgeverij Zwijsen B.V., Tilburg
Vormgeving: Rob Galema

Voor België:
Zwijsen-Infoboek, Meerhout
D/2007/1919/309

Inhoud

Een beetje ziek

'Max, ik ben even weg!' Met haar jas aan kwam zijn moeder zijn kamer binnenlopen.
'Maar dan ben ik alleen,' zei Max. 'Ik verveel me toch al de hele tijd!'
'Lieverd, het is maar voor een paar uurtjes,' antwoordde zijn moeder. 'Kijk, ik heb hier een boek dat je nog niet kent. Ga dat lekker zitten lezen, dan merk je niet eens dat ik weg ben.'
'Ik wil helemaal niet lezen, ik wil mee!' riep Max.
'Maar je bent een beetje ziek,' zei mama. 'Als je nu naar buiten gaat, wordt het alleen maar erger. Weet je, ik zal iets lekkers voor je meenemen.'
'Ik wil helemaal niets lekkers, want ik heb buikpijn,' zei Max.
Toen moest zijn moeder lachen. 'Kijk, daarom mag je dus niet mee. Jij blijft in bed, dan ben je het snelst weer opgeknapt. Lees dat boek nou maar. Je zult zien dat je het grappig vindt. Maar nu moet ik echt gaan, tot straks.' Ze gaf Max een dikke zoen.
Met een boos gezicht bekeek Max het boek. En wat er toen gebeurde ... heette het. Op de voorkant stond een tekening van een geopend slaapkamerraam.
Wat zou er nou bij zo'n raam kunnen gebeuren? In

ieder geval niets grappigs of spannends. Max duwde het boek opzij. Het viel op de grond, maar daar besteedde hij geen aandacht aan. Hij kroop diep weg onder zijn dekbed. Het was er heerlijk warm en donker. Hij hoorde alleen zijn eigen ademhaling, verder niets.

Een tijdje lag hij zo te soezen. Toen hoorde hij plotseling toch iets: ergens vandaan klonk muziek. Max stak zijn hoofd boven het dekbed uit. Ja, nu hoorde hij het beter; het klonk heel feestelijk. Er gebeurde vast iets leuks daarbuiten. Hij glipte uit bed en ging voor zijn raam staan. Daar was niets bijzonders te zien, alleen dat het behoorlijk hard waaide. De takken van de bomen zwaaiden wild heen en weer.

Max opende het raam, alleen om even te kijken. Maar een harde windstoot rukte de klink uit zijn hand. Het raam klapte wagenwijd open en de wind stormde zijn kamer in. De gordijnen wapperden op en neer, een zwerm losse blaadjes waaide naar binnen. Vlug pakte Max de klink beet, maar voor hij het raam weer kon dichtdoen, waaide er nog iets zijn kamer in. Iets groots en kleurigs. Het dwarrelde eventjes rond en viel toen met een zachte plof op de grond. Daar bleef het bewegingloos liggen.

O nee, dacht Max even, een vogel. Hij bukte zich om hem op te rapen, maar hij had zich gelukkig

vergist. Het was helemaal geen vogel, het was een hoed. Een grote, slappe hoed met een wijde rand. Hij was versierd met veertjes in alle kleuren van de regenboog. De veertjes bewogen in de wind alsof de hoed wilde wegvliegen. Max zette hem op zijn hoofd en keek in de spiegel. Hij schoot in de lach. Het leek wel of hij een vogel op zijn hoofd had, een papegaai. 'Koppiekrauw,' zei hij tegen zichzelf. Toen liep hij terug naar het raam en keek naar buiten. De hoed hield hij stevig vast.
Nu was er daar wel iemand. Verderop in de straat holde een meisje. 'Hé, hallo!' riep Max tegen de wind in. 'Is dit misschien jouw hoed?'
Het meisje hoorde hem waarschijnlijk niet, want ze holde verder en verdween om de hoek. Jammer voor haar, dacht Max. Hij wilde het raam weer dichtdoen, maar daarvoor had hij zijn beide handen nodig.
Hij moest de hoed loslaten. Help, bijna waaide die van zijn hoofd. Nog maar net op tijd kon hij hem vastgrijpen. Uit alle macht klemde hij de hoed vast, maar de wind ging nog veel harder blazen. Die rukte en trok aan de hoed; het leek wel of hij het expres deed. Hij bulderde in de oren van Max: 'Laat los, laat los!' Maar Max wilde niet toegeven. Hij bleef de hoed vasthouden en toen gebeurde het. De wind tilde de hoed op en blies hem samen met Max het raam uit. Het ging zo vlug dat Max niet eens bang kon

worden. Hij liet de hoed niet los. Dat kon ook niet; daarvoor was hij al veel te hoog in de lucht. De wind blies hem tot boven de daken van de huizen. Het was griezelig en spannend tegelijk.
De luchtreis duurde niet zo lang, want opeens nam de wind af. Even dacht Max dat hij te pletter zou vallen. Hij klampte zich vast aan de wijde rand van de hoed en dat was zijn redding. Hij stortte niet neer, maar zeilde rustig naar beneden. Even later stond hij met beide voeten veilig op de grond. Met een diepe zucht nam hij de hoed van zijn hoofd.
Hela! Nu hoorde hij weer dat wijsje dat hij al eerder had gehoord, ergens vlakbij. Hij keek om zich heen. Wat verderop in de straat stond een groot gebouw. Daar kwam die muziek vandaan.
Met de hoed in zijn hand holde Max ernaartoe.
Toen hij voor het gebouw stond, gingen de glazen toegangsdeuren open. Vrolijke dansmuziek golfde naar buiten. Het klonk zo feestelijk dat Max gewoon zin kreeg om mee te dansen. Maar ja, dit feest was niet voor hém bedoeld. Hij deed een stapje achteruit. De deuren sloten weer. Max zuchtte diep. Bijna tegelijkertijd hoorde hij nog zo'n zucht, als een soort echo. Wie deed dat?
Max stapte opzij. Op de stoep, achter een grote bloempot, zat een meisje.
Toen ze Max zag, gaf ze een gilletje.

‘Dat is mijn hoed!’ riep ze. ‘Die is van mijn hoofd gewaaid toen het zo stormde. Ik heb hem de hele tijd lopen zoeken. Waar heb je hem gevonden?’
Ze pakte de hoed uit Max’ hand en zette hem meteen op haar hoofd. Ineens leek ze niet meer op een meisje. Ze was plotseling veranderd in een vogel, een grote, kleurige vogel. Nu pas zag Max dat ze een grappig gekleurd pak aan had, dat precies bij haar hoed paste.
‘Fantastisch!’ riep het meisje. ‘Bedankt, hoor! Zonder hoed durfde ik niet naar binnen, maar nu kan ik gelukkig toch nog. Zullen we samen gaan? Dat lijkt me gezellig. Trouwens, ik heet Maxime.’
Ze wachtte niet op antwoord, maar pakte Max beet en trok hem mee. De deuren van het gebouw gingen open en ze kwamen in een enorme hal.
‘Niet doen, gekkie!’ Max trok zijn hand los. ‘Ik kan toch niet in mijn pyjama naar een feest?’
Maxime keek hem verwonderd aan. ‘Natuurlijk wel, je ziet er juist prachtig uit.’
‘Maar wat is het dan voor feest?’ vroeg Max.
‘Dat weet je best,’ zei Maxime. ‘Waarom heb je anders je pyjama aan?’
Max zuchtte: ‘Omdat ik ziek ben, natuurlijk!’
Even keek Maxime hem verbluft aan, toen begon ze te lachen.
‘Dit is een verkleedfeest. Ik dacht dat jij er ook

naartoe ging.' Ze lachte zó hard dat ze bijna omviel. Het klonk heel aanstekelijk, Max ging vanzelf meedoen. 'Dus daarom kon jij niet naar binnen zonder hoed, nu snap ik het ook,' grinnikte hij. Maxime pakte zijn hand weer vast en nu liet Max zich wel meenemen.
In de feestzaal waren wel honderd kinderen en allemaal waren ze verkleed. De een was nog mooier uitgedost dan de ander. Er waren ridders en spoken, prinsen en prinsessen, zeerovers en heksen. Allerlei soorten dieren waren erbij, maar niemand was verkleed als zieke. Max vond dat helemaal niet erg. Hij danste en feestte en verder dacht hij nergens aan. Hij merkte niet dat er mensen over hem fluisterden. Hij maakte grapjes met Maxime en met andere kinderen. Hij deed mee met de spelletjes en hij snoepte van al het lekkers. Hij vergat helemaal dat hij eigenlijk een beetje ziek was.
Veel te vlug klonk er een gong die aangaf dat het feest was afgelopen.
'Maar eerst willen we een prijs uitreiken aan het mooist verklede kind,' zei een deftige heer. 'De winnaar is ...'
Opeens keek iedereen naar Max.
'Hij ziet er zo echt uit,' zei iemand. 'Het is net alsof hij regelrecht uit bed komt; hij is zelfs op blote voeten.'

De man kwam naar Max toe. Hij gaf hem plechtig een hand en een zilveren beker. Toen begon iedereen luid te klappen.
Voor de anderen was het feest nu afgelopen, maar niet voor Max. Buiten stond een mooi open rijtuig gereed. Er stonden twee paarden voor en op de bok zat een echte koetsier. Max mocht een rijtoer maken en hij mocht iemand meenemen.
Nou, dat werd natuurlijk Maxime. Even later zaten ze allebei in het rijtuig. Ze maakten een rondrit door de stad. Overal waar ze kwamen, keken de mensen hen na. Ze wezen en zwaaiden en Max en Maxime zwaaiden vrolijk terug.
Ze kwamen ook in de buurt van het huis van Max en opeens werd hij een beetje zenuwachtig. Hoelang was hij weg geweest? En zijn moeder, zou die niet vreselijk ongerust zijn?
'Die straat in!' riep hij naar de koetsier en even later: 'Stop, hier moet ik eruit!' Hij duwde de zilveren beker in de handen van Maxime. 'Eigenlijk heb jij hem verdiend,' zei hij. En snel, voordat zij nog iets kon vragen, klom hij uit het rijtuig. 'Dag, tot ziens!' riep hij. Daarna holde hij zijn huis in.
'Mama!' riep hij. 'Mama, ik ben er weer, hoor!' Maar hij kreeg geen antwoord. Zijn moeder was nog niet eens thuis!
Max holde naar zijn kamer. Het raam stond nog

steeds wijd open. Hij leunde naar buiten, net op tijd om te zien hoe het rijtuig de straat uit reed. Hij hoorde de hoeven van de paarden nog even op het asfalt, daarna was alles weer gewoon.
Op dat moment kwam vanaf de andere kant zijn moeder de straat in fietsen.
'Joehoe, mama!' riep Max vrolijk. 'Ik ben hier!'
Zijn moeder keek omhoog.
'Ga daar weg!' riep ze. Een beetje boos kwam ze even later zijn kamer binnen. Ze deed meteen het raam dicht. 'Waarom deed je nou zo mal?' vroeg ze. 'Wil je nog zieker worden?'
'Ik ben helemaal niet ziek meer,' zei Max. 'En ik heb zoiets leuks gedaan.' Hij vertelde haar over alles wat er die middag gebeurd was.
Zijn moeder begon te lachen. Ze raapte het boek dat ze hem had gegeven, op van de grond.
'Het klinkt leuk, Max,' zei ze, 'maar je zult het allemaal wel gedroomd hebben. Kijk hier eens.' Ze deed het boek open en sloeg de bladzijden een voor een om. Daar zag Max tot zijn stomme verbazing zijn eigen verhaal getekend: de wind die de hoed naar binnen waaide, zijn luchtreis, het verkleedfeest …
Alles.
'Maar dat klopt helemaal niet!' riep hij uit. 'Ik heb niet eens geslapen. Het is wél echt gebeurd.'
Zijn moeder knuffelde hem even. 'In elk geval is het

heerlijk dat je je zoveel beter voelt,' zei ze. 'Trek iets warms aan en kom daarna maar naar beneden. Ik heb iets lekkers meegebracht.' Ze liep zijn kamer uit.
Max ging op zijn bed zitten. Hij wist niet wat hij ervan moest denken. Zou het waar zijn wat zijn moeder zei? Was het echt allemaal maar een droom geweest? Langzaam trok hij zijn trui aan.
Hela, er viel van alles uit de zak van zijn pyjama. Wat waren dat nou? Veertjes? Snel raapte hij de kleurige veertjes op van de grond en hij holde zijn kamer uit.
'Mama!' riep hij. 'Mama, kijk eens!'

Vreemde oppas

Pien stond juist naar buiten te kijken toen iemand hun voortuin in kwam: een mevrouw met een saaie, zwarte jurk aan. Als dat maar niet de oppas is, dacht Pien. Maar ze had pech, want die was het wel. Pien was toch al in een slecht humeur. Haar ouders zouden die avond naar een superleuk feest gaan en zíj mocht niet mee.

'Geen denken aan,' had haar vader gezegd. 'Het is een midzomernachtfeest, dus dat kan wel de halve nacht duren. We vragen Ella of ze wil komen oppassen.'

Ella was hun vaste oppas, maar zij had zelf ook een zomerfeest die avond. Dus nu kwam er een nieuwe oppas, een vreemde. Het was iemand die Ella goed kende.

Bah! Pien was absoluut niet van plan de nieuwe oppas aardig te vinden. Op dat moment kwam haar vader met de oppas de woonkamer binnen. 'Kijk Pien, dit is Kola,' zei hij.

Kola, wat een belachelijke naam, dacht Pien.

Kola gaf Pien een klein glimlachje, maar verder lette ze alleen op wat Piens vader vertelde.

'Wat prettig dat je wilde komen, Kola. Het is een

hele opluchting voor ons. Kijk, ik heb een schaaltje lekkere dingen voor je klaargezet en wat tijdschriften. Je kunt natuurlijk ook televisie kijken. Er komt een leuke film, vanavond. Doe maar gewoon alles waar je zin in hebt.'

'En Pien?' vroeg Kola.

'Pien vermaakt zich wel,' zei haar vader. 'Ze mag alleen de deur niet uit, maar ze heeft genoeg om binnen te spelen. Ze moet natuurlijk wel op tijd naar bed. Let maar goed op dat ze ook echt gaat slapen, want soms leest ze veel te lang.'

'O papa, doe niet zo flauw!' riep Pien. Haar vader gaf haar een knipoog.

'Wat bedoelt u met "op tijd"?' vroeg Kola.

Voordat ze antwoord kon krijgen, kwam Piens moeder de kamer in. Ze had een prachtige jurk aan en ze rook heerlijk. Ze hield de autosleuteltjes omhoog. 'Zullen we?'

'Ben ik niets vergeten, Kola?' vroeg papa.

'Volgens mij weet ik alles,' antwoordde Kola.

Pien kreeg een dikke zoen en een knuffel en toen vertrokken haar ouders.

Kola pakte meteen een tijdschrift en ging op de bank zitten lezen. Soms keek ze even naar Pien, maar ze zei helemaal niets. Het was wel heel stilletjes.

'Zullen we samen iets doen, een potje kaarten of zoiets?' vroeg Pien toen maar.

'Daar houd ik helemaal niet van,' zei Kola. 'Je vader zei dat je goed zelf kunt spelen.' Daarna las ze meteen weer verder.
Maar Pien had nergens zin in. Ze ging voor het raam staan. Buiten was het nog dag. 'Ik ga even in de tuin spelen,' zei ze, terwijl ze naar de achterdeur liep.
'Geen sprake van,' zei Kola. 'Je vader heeft duidelijk gezegd dat je de deur niet uit mocht.'
'Nou ja!' riep Pien. 'Wat moet ik dan doen?'
'Je hebt genoeg om binnen te spelen,' zei Kola. Ze legde haar tijdschrift neer en liep naar de keuken. Even later kwam ze terug met een dienblad vol lekkernijen: koekjes, chocolaatjes en een glas appelsap.
'Mmmmm, lekker,' zei Pien.
'Denk je?' vroeg Kola. Ze zocht een chocolaatje uit en stopte het in haar mond. 'Ja, inderdaad,' zei ze en pakte een volgende. 'Deze is ook prima.'
'Mag ik ook?' Pien stak haar hand al uit, maar Kola trok het schaaltje weg. 'Nee, dit is voor mij, dat zei je vader toch? Over jou heeft hij helemaal niets gezegd.'
'Eet je dan alles alléén op?' vroeg Pien nijdig.
'Ik denk het wel,' zei Kola. 'Het wordt een lange avond.'
Nou ja! Pien wilde niet toekijken hoe Kola in haar eentje zat te snoepen. Ze zette de televisie aan en ging ervoor zitten met haar rug naar Kola toe.

'Ho ho, wacht eens even!' zei Kola. 'Ik wilde juist zelf gaan kijken. Er komt een mooie film, zei je vader.'
'En ik dan?' Pien was zo boos dat er tranen in haar ogen sprongen.
'Tja,' zei Kola. 'Het is volgens mij bedtijd.'
'Nu al?' Pien kon haar oren niet geloven. 'Het is nog niet eens halfacht!'
'Ik doe alleen wat je vader heeft gezegd. Je moest bijtijds naar bed.'
'Maar hij bedoelt niet zó vroeg. Van Ella mag ik juist altijd opblijven.'
'Ik doe het op míjn manier.' Kola keek een beetje beledigd. 'Ga maar naar boven, ik kom straks eventjes kijken.'
'Je hoeft niet boven te komen!' schreeuwde Pien razend. Ze holde de kamer uit, naar boven. Daar gooide ze haar kleren zomaar op de grond. Ze waste zich niet en ook poetste ze haar tanden niet, maar ze kroop zó in bed.
Het was buiten nog volop licht. Ergens vandaan klonk vrolijke muziek. Pien werd er treurig van. Overal is het feest omdat de zomer vannacht begint, dacht ze, alleen ik heb niks leuks. Ze legde haar kussen boven op haar hoofd. Ze stikte bijna, maar toch bleef ze zo liggen.
'Pien, ben je nog wakker?' Opeens stond Kola naast haar bed. Pien had haar niet horen aankomen.

‘Ga weg!’ riep ze vanonder haar kussen vandaan, maar Kola bleef gewoon waar ze was. ‘Geef me eerst antwoord,’ zei ze. ‘Lees je of slaap je?’
Nu werd Pien pas echt woest. Met een ruk ging ze rechtop zitten.
‘Jij doet niet normaal!’ riep ze. ‘Je bent geen goede oppas ... Je bent een pestkop! Ella doet alles veel beter!’
Kola werd niet kwaad, zoals Pien verwacht had. Ze keek alleen heel verschrikt. Met een diepe zucht ging ze op Piens bed zitten.
‘Ga weg!’ riep Pien opnieuw.
‘Straks,’ zei Kola. ‘Maar eerst moet je iets uitleggen. Ik begrijp het niet. Jij zegt dat ik geen goede oppas ben, maar ik heb alles precies gedaan zoals je vader heeft gezegd. Ik heb niet één fout gemaakt, dat weet ik zeker. Wat moet een oppas dan doen volgens jou?’
Pien wreef haar ogen uit.
‘Moet ík dat vertellen?’ vroeg ze.
Kola knikte.
Oké, dacht Pien, dan moet ze het zelf maar weten.
‘Een goede oppas doet leuke dingen met je,’ somde ze op. ‘Die laat je stiekem toch opblijven en je krijgt allemaal lekkere dingen. Ze zorgt ervoor dat je zelf ook een beetje feest hebt. Zo, dat was het!’
‘Ja, dat kon ik allemaal niet weten,’ zei Kola. ‘Ik heb nog nooit eerder opgepast, weet je. Ik dacht juist dat

ik het prima deed.' Het bleef even stil, toen stond ze plotseling op. 'Maar dat kan allemaal nog, kom er maar uit.'
'Moet ik uit bed komen, waarom?'
Kola gaf geen antwoord, maar liep naar het raam en klom op de vensterbank.
'Wat doe je nou?' gilde Pien. Met een sprong stond ze ook bij het raam.
'Je mag stiekem opblijven en wij gaan feestvieren,' zei Kola rustig. Ze boog naar buiten en greep de onderste tak van de boom. Vervolgens wipte ze naar voren en toen zat ze erop. 'Jouw beurt.'
'Ben je stapeldol geworden?' schreeuwde Pien. 'Dat mág ik helemaal niet!'
Maar Kola zei: 'Onzin, je mocht de deur niet uit, dát zei je vader. Niets over een raam. Of durf je niet? Want dan help ik je.'
Dat liet Pien zich geen twee keer zeggen. Ze klom in de boom alsof ze dat dagelijks deed. Ze wilde naast Kola gaan zitten, maar die was al naar beneden aan het klauteren. Ze leek wel een enorme zwarte kater, zo handig deed ze dat.
'Jouw beurt, Pien!' riep ze, toen ze onder aan de boom stond.
Pien liet zich naar beneden roetsjen.
'Grappig,' zei ze, toen ze met haar blote voeten in het gras stond. 'Maar naar boven klimmen is moeilijker.'

Ze begon zich alweer omhoog te hijsen, maar Kola pakte haar beet.
'Niks daarvan. We gaan feestvieren, heb ik gezegd.'
Ze trok Pien mee de tuin uit.
Pien probeerde zich los te wurmen. 'Ik moest bijtijds naar bed van mijn vader!' riep ze.
'Dat heb je ook gedaan!' Kola liep gewoon door. 'En nu blijven we stiekem wat langer op, zo hoort het toch?'
'Mijn vader en moeder worden vast woedend als ze dit horen!' riep Pien.
'Daar geloof ik niets van. Ik mocht alles doen wat ik zelf wilde, dat heb je zelf gehoord. En jij wilde toch feesten, of niet soms?'
'Ja, nee.' Pien raakte helemaal in de war. 'Weet je, je bent een slechte oppas!' riep ze.
'Meen je dat?' Kola liet haar hand meteen los. 'Ik heb precies gedaan wat je ouders zeiden en bovendien doe ik alles wat jij hebt opgenoemd. Maar nog steeds noem je me een slechte oppas. Dan kan ik er beter mee ophouden. Wat zullen je ouders wel denken?'
Kola zag er zo zielig uit toen ze dat zei. Pien kon er niet tegen.
'Ik zal het aan niemand verklappen,' zei ze vlug.
'Misschien kan het toch nog goed komen. Wat was je eigenlijk van plan?'
Kola's gezicht klaarde meteen op.

‘Krijg ik nog een kans? Mooi, dan gaan we. Houd je ogen en oren wijd open.’
Pien keek en luisterde. Het was ondertussen donker geworden. Vanuit de verte klonk nog steeds muziek. Opeens wist Pien het. ‘Wauw! We gaan naar de kermis!’ riep ze.
‘Ik dacht wel dat je dat leuk zou vinden,’ knikte Kola tevreden.
Samen vierden ze kermis. Ze begonnen natuurlijk met een grote, kleverige, roze suikerspin. Toen die op was, stapten ze in de botsautootjes. Dat ging niet goed, hun handen plakten veel te erg om te kunnen sturen. Ze hotsten en botsten overal tegenop. Pien kreeg er de slappe lach van. Daarna maakten ze ritjes met de draaimolen tot Pien bijna misselijk was. Ze gingen ook nog touwtje trekken en ballen gooien, maar ze wonnen nergens iets. Als troost nam Kola Pien mee in het reuzenrad, precies toen de torenklok twaalf uur sloeg.
‘Middernacht, het is zomer!’ zei Kola.
Pien keek naar haar gezicht. Ze zag er grappig uit in het kleurige licht van de kermis.
‘Ik heb nog nooit zo’n leuke oppas gehad!’ riep ze uit. ‘Nog nooit in mijn hele leven!’
‘Meende je dat?’ vroeg Kola, toen ze weer op de grond stonden.
‘Nou en of,’ zei Pien.

‘Kom dan maar mee.’ Kola pakte haar hand. ‘We gaan terug.’
Ze deden lang over de terugweg, want eigenlijk was Pien behoorlijk moe geworden. Hoe ze in haar bed terecht was gekomen, wist ze naderhand niet meer. Ergens halverwege moest ze in slaap gevallen zijn. De hele nacht droomde ze over de kermis.
Toen ze ’s morgens wakker werd, stond haar vader bij haar bed.
‘Nou nou, Pien,’ lachte hij. ‘Wat sliep je vast. Het lijkt wel of jij ook uit bent geweest, gisteravond.’
Hij liep de kamer weer uit.
Pien sprong uit bed. Toen ze haar voeten zag, begon ze te lachen. Wat waren die vuil! En ook haar nachtpon!
Razendsnel trok ze haar kleren aan. Net op tijd. Haar vader kwam terug in haar kamer. ‘Wat is er, waarom moet je zo lachen?’
‘Zomaar,’ zei Pien. ‘Ik had een leuke droom.’

Daar geloof ik niets van

'Roel,' zei zijn vader. 'Ik heb het razend druk vandaag. Wil jij een uurtje op Esje passen? Ga lekker met haar naar buiten, het is zulk prachtig weer!'
Roel kreeg niet eens de kans om te zeggen: 'Nee, dat wil ik niet.' Zijn vader duwde hem zowat naar buiten.
Esje begon meteen te huilen. Roel probeerde haar te troosten. 'Zullen we wandelen in het park?' stelde hij voor, maar Esje liet zich niet troosten.
'Niet dóén!' riep ze alleen maar keihard, en ze huilde gewoon door.
Een mevrouw bleef staan.
'Foei, jongen!' zei ze. Plaag je kleine zusje niet zo.'
Nu werd Roel nijdig. Hij pakte Esje bij haar hand en trok haar mee.
Esje brulde: 'Niet dóén', maar Roel deed net alsof hij haar niet hoorde.
Zo kwamen ze bij het marktplein. Daar stonden een heleboel mensen in een kring naar een voorstelling te kijken. Roel en Esje bleven ook staan. Midden in de kring stond een man, het was een goochelaar. Naast hem stond een enorme doos. Daar zat niets in,

dat kon je zien. Toch haalde de goochelaar er allerlei spullen uit: theedoeken, ballen en kaarten, zelfs een prachtige vaas met echte bloemen. En even later waren al die spullen ook weer verdwenen.
Roel keek zijn ogen uit en ook Esje vergat haar verdriet helemaal. Maar toen zei de goochelaar: 'En nu volgt de laatste truc, de allerlaatste en tegelijk ook de spannendste. U zult uw ogen niet geloven!'
Er kwamen nog veel meer mensen in de kring staan. Ze drongen en duwden, want ze wilden allemaal goed kunnen zien wat de goochelaar ging doen. Esje begon weer te huilen.
'Niet dóén! Ik wil naar huis!'
'Stil toch, stil toch,' sisten de mensen, maar Esje trok zich daar niets van aan. Ze trok aan de mouw van Roels jas en brulde: 'Ik wil naar papááá! Kom méé-éé.'
Op dat moment vroeg de goochelaar: 'Is er in het publiek iemand die me wil helpen?' Hij tikte met zijn toverstokje tegen de rand van de doos. 'Wie durft in deze doos te stappen?' vroeg hij. 'Wie helpt me met de grote verdwijntruc?'
Niemand zei iets, iedereen wachtte af. Je hoorde alleen het gejammer van Esje: 'Kom méé, kom méé!'
Roel werd er wanhopig van. Zonder erbij na te denken tilde hij zijn zusje op en hield haar omhoog. 'Hier!' riep hij. 'Mijn zusje wil wel helpen!'

En met een zwaai zette hij haar in de doos. Esje was zo verbluft dat ze meteen haar mond hield.
'Prima, dank je wel, jongeman,' zei de goochelaar en daarna riep hij tegen het publiek: 'Kijkt u allen goed. U heeft gezien dat de jongedame echt in de doos zit. En dan nu ...' Vlug deed hij een deksel op de doos. 'Nu volgt ... het grote moment!' Hij zwaaide met zijn stokje en mompelde iets onverstaanbaars. Vanuit de doos klonk een vreemd geluid, maar Roel hoorde geen gehuil.
'Let nu goed op,' zei de goochelaar. Hij opende de doos weer. Eerst kwam er een grote rookwolk uit, dikke, witte rook. Daarna vloog er een duif uit de doos, een dikke, witte duif. Hij vloog over de mensen heen en toen was hij verdwenen. De goochelaar tilde de doos op en hield hem ondersteboven. Er viel niets uit; de doos was helemaal leeg.
'Aaah!' riepen de mensen. 'Oooh!' Ze klapten in hun handen. Vervolgens gooiden ze geld in de hoed van de goochelaar en daarna liepen ze verder. Alleen Roel bleef staan.
'Meneer, waar is mijn zusje gebleven?' vroeg hij.
De goochelaar was zijn spullen aan het inpakken. De grote rode doos was al helemaal plat, daar kon Esje echt niet in zitten.
'Je zusje?' De man legde zijn spullen in een fietskarretje. 'Tja, dat weet ik niet. Ik heb haar laten

verdwijnen, zoals ik had gezegd, maar ik heb niet beloofd dat ze ook zou terugkomen.' Hij maakte zijn karretje vast achter zijn fiets. Naar Roel keek hij niet meer.

Roel ging vlak voor de fiets staan, zodat de goochelaar niet zomaar kon wegrijden.

'U heeft mijn zusje kwijt gemaakt!' riep hij. 'Ik wil haar terug hebben!'

'Nou, nou, wat een drukte om zo'n kleine schreeuwlelijk,' zei de goochelaar. 'Ik zei toch al dat ik niet weet waar ze is gebleven.' Hij stapte op zijn fiets en reed met een boogje om Roel heen.

Roel bleef alleen achter. Hij plofte neer op een bankje. Hij moest nadenken, heel goed nadenken ... Maar er kwamen geen goede gedachten. Alleen maar: Esje is weg, verdwenen!

Verdwenen? Roel ging met een ruk rechtop zitten. Een kind kan niet zomaar zoekraken. Esje moest ergens gebleven zijn. Roel deed zijn ogen dicht en dacht heel goed na. Hoe was het ook alweer gegaan? Die man tikte met zijn toverstokje en toen ... Ha! Roel wist het weer: eerst klonk er een vreemd geluid, toen kwam er een rookwolk uit de doos en daarna die witte duif. Zo was het gegaan.

Nu pas merkte Roel dat er duiven op het plein liepen, een heleboel zelfs. Hij liep ernaartoe, al wist hij eigenlijk niet waarom. De duiven vlogen niet

weg, zelfs niet toen hij heel dichtbij kwam. Ze deden alleen een paar stapjes opzij en met één oog hielden ze hem in de gaten.
Wel drie keer liep Roel tussen de duiven door het plein over. De witte duif zat er niet bij. 'Waar is Esje, ik wil mijn zusje terug!' riep Roel. Hij zwaaide wild met zijn armen. Daar schrokken de duiven wel van. Ze stoven uiteen en vlogen weg, met zijn allen. Het hele plein was leeg daarna, of nee, toch niet. Vlak voor Roels voeten lag een klein hoopje witte veren. Die witte duif moest hier dus toch geweest zijn. Toen Roel de veertjes wilde oprapen, ontdekte hij dat er een spoor van die witte veertjes over het plein liep. Vanaf de plek waar hij stond, helemaal tot aan het eind van het plein.
Die veertjes hadden iets met Esje te maken, dat kon niet anders.
'Esje!' riep hij zo hard hij kon. 'Ik kom eraan, hoor, ik kom je halen!' Hij begon te hollen. Hij volgde het spoor tot aan het eind van het plein. Daar was een weg en daar hield het spoor op.
Even werd Roel toch weer bang, maar toen zag hij dat aan de overkant het park begon. Hij holde de weg over. Op het pad bij de ingang van het park lagen ook weer witte veertjes. De duif was hier dus ook geweest.
Roel zette zijn handen aan zijn mond en riep: 'Esje,

waar ben je? Ik ben het, Roel!'
Eerst hoorde hij alleen het geritsel van de boomblaadjes, maar daarna hoorde hij nog iets. Het leek op de roep van een duif: roe, roe, maar dan anders. Het klonk als zijn naam: Roel, Roel. Toch moest het wel een duif zijn, die het riep, want het geluid kwam vanuit een hoge eikenboom. Roel holde ernaartoe.
'Roel!' Het klonk nu heel duidelijk. 'Roel!'
Roel tuurde omhoog. Daar, tussen de boomtakken zag hij een vogelnest. Vanuit het nest keken twee kleine ogen hem aan. Maar ... dat waren niet de ogen van een duif: het was zijn zusje dat daar hoog in de boom in het nest zat!
'Esje!!!' Roel riep zo hard dat het hele park ervan galmde.

Het was nog een hele toer om Esje naar beneden te halen. De parkwachter kwam erbij, maar zijn ladder was te kort. Die reikte maar tot halverwege de boom. Toen belde de parkwachter de brandweer en legde uit wat er aan de hand was.
De brandweer kwam meteen met een ladderwagen en die ladders waren wel lang genoeg. Een van de brandweermannen klom naar boven. Hij tilde Esje uit het nest en bracht haar naar beneden, naar Roel. Esje huilde niet eens. Ze pakte alleen Roels hand beet

en hield die stevig vast.
Nu wilde iedereen weten hoe Esje in dat nest was terechtgekomen. Maar Esje gaf geen kik, ze hield haar mond stijf dicht. Ook Roel vertelde niets: niet over de goochelaar, niet over de verdwijndoos en zelfs niets over de witte duif.
'Ik weet het niet,' zei hij telkens. 'Ik snap er helemaal niets van.' Toen hielden de mannen maar op met hun vragen. Ze gingen weer aan het werk.

Met zijn tweeën liepen Roel en Esje naar huis terug. 'En, hebben jullie fijn gespeeld samen?' vroeg hun vader, toen ze thuiskwamen. Toen keek hij naar Esje. 'Wat is er met jou aan de hand?' vroeg hij verbaasd. 'Je zit vol met witte veren, je lijkt wel een vogel.' En hij begreep niet waarom Roel zo moest lachen.

Verdwaald

Tanneke was goed in verdwalen. Hoe dat toch kon, snapte ze zelf ook niet. Het ene moment was ze nog waar ze moest zijn en even later was ze de weg kwijt.
'Hoe krijg je het toch voor elkaar?' zeiden haar ouders vaak. En haar grote zussen lachten haar telkens uit. 'Domoor, je droomt met je ogen open,' zeiden ze. Dat vond Tanneke vervelend, want ze deed het heus niet expres; het gebeurde gewoon.
Op een dag waren ze met de hele familie aan het wandelen in het bos. Ze liepen achter elkaar over een smal paadje, Tanneke als laatste. Ze keek naar de voeten van haar zus, die voor haar liep. Ze probeerde haar bij te houden. Dat was best lastig, want haar zus had heel lange benen.
Vlak achter zich hoorde Tanneke een zacht geritsel. Liep daar misschien een konijntje langs het pad? Vlug draaide ze zich om en keek tussen de struiken. Er was helemaal niets te zien, jammer hoor! Dat konijn zat natuurlijk allang weer in zijn holletje.
Maar kijk nou toch, het paadje vóór Tanneke was opeens akelig leeg. 'Hallo!' riep ze. 'Waar zijn jullie gebleven?' Ze kreeg geen antwoord, maar daar trok ze

zich niets van aan. De anderen konden echt nog niet ver zijn.
'Wacht nou toch even, ik kom al!' Tanneke begon te hollen. Het paadje was smal en hobbelig. Overal groeiden wortels boven de grond uit. Al gauw struikelde ze. Pats, daar lag ze languit op de grond. Niks aan de hand, het deed geen pijn maar ze zat wel helemaal onder het zand.
Tanneke sloeg haar knieën schoon en veegde haar handen af aan haar broek. Maar toen ze daarna door wilde lopen, wist ze ineens niet meer hoe ze verder moest. Linksaf of rechtsaf? Waar was ze ook alweer vandaan gekomen? Alle twee de kanten zagen er precies hetzelfde uit. Rechtsaf dan maar?
Na een paar minuten stond ze stil. Die twee bomen met die witte stammen had ze toch eerder gezien? 'Sufferd!' zei ze tegen zichzelf en op een holletje liep ze terug.
Oeps, bijna viel ze nog een keer. Ze kon zich nog net aan een tak vastgrijpen. Maar ... nu was ze alwéér op dezelfde plek aangekomen. Dat kon toch niet? Tanneke snapte er niets meer van. Voor de derde maal keerde ze om. Nog eens liep ze terug over hetzelfde paadje, alleen niet meer zo snel als daarvoor. Een eindje verder maakte het pad een bocht. Mooi, hier was ze in ieder geval nog niet eerder geweest. Opgelucht liep ze verder, maar dat gevoel duurde niet

lang. Vlak na de bocht ging het pad over in twee nog veel kleinere paadjes. Help, welk paadje moest ze nu kiezen?
Tanneke koos het linkerpaadje. De bomen stonden daar erg dicht op elkaar. Met moeite wurmde ze zich tussen de takken door.
'Papa! Mama!' riep ze zo hard ze kon. En daarna nog harder: 'Ik ben hier!!'
Hoog in de bomen hoorde ze geritsel, gekoer en gefluit van allerlei vogels, maar antwoord kreeg ze niet. Ze tuurde tussen de stammen door. Nergens was een open plek en toen ze zich weer omdraaide, zag ze het paadje ook niet meer. Nu moest ze het wel toegeven: ze was verdwaald. Alweer!
Tanneke ging met haar rug tegen een boom op het zachte mos zitten. Ze kon net zo goed afwachten; haar ouders zouden vast wel aan het zoeken zijn. Ze wachtte een hele tijd, urenlang leek het. Ze werd er gewoon moe van, maar nog steeds was ze niet gevonden. Ze begon bijna te huilen. Bíjna, maar net op dat moment hoorde ze een geluidje achter zich, een zacht geritsel. Daar zat vast weer een konijntje.
Tanneke ging op haar knieën zitten om tussen de struiken te kunnen kijken. Ze boog zo ver ze kon naar voren, daardoor verloor ze haar evenwicht en ze viel. Op datzelfde moment hoorde ze een schel stemmetje roepen: 'Au, kun je niet uitkijken?'

Tanneke schrok en probeerde meteen overeind te komen, maar ze raakte verstrikt in de takken.
'Sta op, domkop! Je drukt me helemaal plat!' riep de stem weer. Het klonk erg nijdig.
Tanneke duwde nog wat takken en blaadjes opzij en toen zag ze wat er aan de hand was. Ze was boven op de benen van een mannetje terechtgekomen. Het kereltje was zo klein als een kabouter. Hij zwaaide wild met zijn armen. Zijn gezicht was bijna groen van kwaadheid.
'Hè?' riep Tanneke uit.
'Snap je het nou nog niet?' snauwde het ventje. 'Zie je dan niet dat ik vastzit? Sta op, domkop!'
Als hij het gewoon gevraagd had, was Tanneke wel opgestaan, maar nu had ze daar geen zin in.
'Je hoeft niet zo te schelden,' zei ze. 'Vertel eerst maar eens wie je bent.'
'Ik ben de dwaler. Laat me nu gaan!' Het kereltje stompte uit alle macht tegen Tannekes knie, maar dat voelde ze amper.
'Zei je "dwaler"?' vroeg ze. 'Daar heb ik nog nooit van gehoord. Wat is een dwaler, wat doet die?'
Het mannetje begon te lachen.
'Dat je dat niet weet,' grinnikte hij. 'Volgens mij verdwaal jij juist altijd, dus jij zou allang moeten weten wat een dwaler doet.'
'Dus ... het is allemaal jouw schuld, jíj laat me altijd

verdwalen!' riep Tanneke uit. 'Wat een gemene streek!'
'Hallo!' riep het mannetje. 'Gemeen? Echt niet! Een bakker bakt brood, een meester geeft les en een dwaler laat je verdwalen. Dat is gewoon mijn vak. Je hóéft toch niet te luisteren als ik ritsel of fluister. Je bent gewoon een domkop. En ga nu van me af met die grote knie!'
'O nee!' Tanneke pakte de dwaler met beide handen beet en stopte hem vlug in haar jaszak. 'Ik houd je bij me. Jij hebt me laten verdwalen, nou, dan zorg je er ook maar voor dat ik mijn ouders terugvind.'
Toen trok ze de ritssluiting dicht.
'Laat me gaan! Laat me los!' De dwaler sprong heen en weer in haar jaszak, maar Tanneke deed net of ze hem niet hoorde. Ze kroop uit de struiken en begon een liedje te neuriën.
'Oké,' riep de dwaler toen. 'Jij krijgt je zin: ik zal je de weg wijzen. Zie je daar een grote eik staan? Die boom waar aan de onderkant een holletje in zit?'
Ja, die zag Tanneke wel.
'Nou,' zei de dwaler, 'als je daarlangs gaat, kom je bij een pad. Dat loop je in en dan zie je even later een braamstruik. Als je daar rechtsaf gaat, kom je vanzelf bij de plek waar je vanmiddag was. En nu moet je me vrijlaten.'
'Wacht even!' riep Tanneke. Ze holde naar de plek

die de dwaler gewezen had. Ze deed het precies zoals hij had gezegd, maar dat was niet de plek waar alles was begonnen. Er stonden alleen grote struiken met scherpe doorns.
'Er klopt iets niet,' zei Tanneke.
'Hi-hi-hi,' lachte het kereltje. 'Je hebt je weer laten verdwalen. Wat ben jíj een domkop!'
Nou ja, zo zou het haar nooit lukken om haar ouders terug te vinden. Bijna had Tanneke haar jaszak opengedaan om de dwaler te laten lopen. Hij wijst toch altijd de verkeerde weg, dacht ze. Maar net op tijd kreeg ze een uitstekend idee. Ze deed de rits een piepklein stukje open. De dwaler kon zijn hoofd net door het gaatje steken, verder niet.
'Help!' riep hij. 'Ik stik bijna! Laat me los!'
'Eerst moet je me de juiste weg wijzen,' zei Tanneke. 'Daarna laat ik je gaan, eerlijk.'
De dwaler mopperde en sputterde, maar toen zei hij: 'Goed dan, voor deze keer. Zie je die lindeboom daar met die twee lage takken? Ga daar maar rechtsaf.'
Tanneke hoorde hem zachtjes lachen, maar nu lachte zij zelf ook, alleen liet ze dat niet merken. Ze liep naar de lindeboom. Toen ze daar aankwam, ging ze niet rechtsaf, maar linksaf.
'Wat doe je nu?' riep de dwaler. 'Domkop, je gaat verkeerd.'
Tanneke trok zich er niets van aan.

'Ho, stop!' riep de dwaler. 'Hier moet je bij het tweede pad linksaf.'
Maar Tanneke lachte en sloeg rechtsaf. Ze liep rechtdoor toen de dwaler zei: 'Nu omkeren!' Ze liep terug toen hij zei: 'Loop rechtdoor!' Het leek wel een spelletje! Een andersom-spel.
Tanneke speelde het spel tot ze terug was bij de twee witte bomen. Toen hoorde ze vlakbij een bekende stem die riep: 'Tanneke! Tanneke, waar ben je? Wij zijn hier!' Het was de stem van haar vader. Toen wist ze dat zíj gewonnen had. Pas op dat moment deed ze de rits van haar jaszak helemaal open. Snel sprong de dwaler eruit. Zo snel als alleen een konijn dat kan.
'Een gemenerik, dat ben je!' riep hij nog naar Tanneke. Toen verdween hij tussen de struiken.
'Maar een domkop ben ik niet!' riep Tanneke hem achterna.
En daarna holde ze naar haar ouders.

Dropjes

Maron zat ongeduldig te wachten op een bankje in het stadspark. Hij wachtte op iemand die zijn hond kwam uitlaten. Maar ja, het regende de hele tijd, dus er kwam helemaal niemand. Hij voelde zich steeds zieliger worden.
Maron was pas verhuisd. Zijn nieuwe huis was mooi groot. Er was een tuin bij en hij had een fijne kamer gekregen, maar hij moest ook naar een nieuwe school. En dat was nou juist het probleem. Als hij na schooltijd aan iemand vroeg: 'Zullen we samen spelen?', dan hoorde hij altijd als antwoord: 'Nee, ik heb al met mijn vrienden afgesproken!'
Gelukkig was het stadspark in de buurt van zijn nieuwe huis. Daar ging Maron nu na schooltijd steeds naartoe. Er kwamen altijd wel mensen hun hond uitlaten en toevallig was Maron dol op honden. In het park kon hij lekker hollen en spelen met die honden. Maar vandaag lukte dat dus niet.
Maron zat al ruim een halfuur op het bankje te wachten. Hij werd steeds natter en kouder; hij kon net zo goed naar huis gaan. Boos stampte hij in de plassen op het pad.
Vanaf de andere kant kwam een vrouw aanlopen. Ze

had vast en zeker haast, want ze liep heel hard. Zij keek ook niet uit, dus midden op het pad botsten Maron en de vrouw tegen elkaar. De tas van de vrouw viel en haar spullen rolden over het pad.
'Moet je nou kijken! Dat deed je gewoon expres!' riep ze.
'N.. nee, echt niet,' stotterde Maron. 'Ik had u helemaal niet gezien.'
'Ik geloof je niet, je deed het met opzet.' De vrouw keek Maron woest aan.
Maron wist niet wat hij terug moest zeggen.
'Zal ik uw spulletjes oprapen?' vroeg hij toen maar.
'Als je er maar van afblijft!' siste de vrouw. Zo snel als de wind raapte ze alles op en gooide het terug in haar tas. Nog één keer keek ze met felle ogen naar Maron. Toen rende ze het park uit, in de richting van het bos.
Nou ja, wat een akelig mens! Maron keek hoe de vrouw tussen de bomen verdween. Toen hij weer verder wilde lopen, ontdekte hij iets. In het gras naast het wandelpad lag een doosje. Dat moest van die mevrouw zijn.
Maron raapte het doosje op. Het rammelde een beetje. Wat zou erin zitten? Stiekem maakte hij het doosje open.
Mjammie, het zat vol dropjes! Maron keek goed om zich heen, nee, de vrouw was nergens meer te zien.

Vlug stak hij een van de dropjes in zijn mond. Het smaakte heerlijk. Maron voelde zich meteen een stuk prettiger. Hij dacht: als er nu ook nog een hond kwam ... Dat zou pas echt fantastisch zijn!
Net toen hij dat dacht, hield het op met regenen. Op datzelfde moment kwam vanuit de struiken een grappig hondje aanlopen. Hij huppelde naar Maron toe. Het was nog maar een jonge hond, dat zag je zo. Hij had nog niet eens een halsband om.
'Wat doe jij hier zo alleen?' vroeg Maron. 'Waar is je baasje gebleven?'
Als antwoord gaf het hondje Maron een natte lik over zijn neus.
'Hou op!' lachte Maron. 'Je bent een boef.'
Dat vond het hondje leuk. Hij sprong tegen Maron op en leek te blaffen: 'Kom maar op!'
Nou, dat wilde Maron wel. Ze stoeiden alsof ze elkaar al heel lang kenden. Maron probeerde hem kunstjes te leren: 'Zit!' en 'Pootje!' en 'Apport!' En het hondje was zo slim, hij snapte alles meteen.
De hele middag speelden ze samen, maar opeens hoorde Maron de torenklok slaan. Hij schrok: het was al halfzes, etenstijd. 'Ik moet naar huis,' zei hij tegen het hondje. 'Ga maar vlug terug naar je baasje.'
Hij holde naar de uitgang van het stadspark, maar voordat hij het hek uit liep, keek hij nog eens om. Hij miste het hondje nu al!

Weet je wat, dacht hij. Ik neem gewoon nog zo'n dropje, dan heb ik tenminste íéts. Grappig, hij voelde zich meteen een stuk fijner. Maar toch zou ik het liefste willen dat het hondje met me meeloopt, dacht hij wel.
Op datzelfde moment kwam het hondje op een drafje naar hem toe. Het bleef ook onderweg naar huis meelopen. Het was net of ze bij elkaar hoorden.
Een eindje verderop kwam Maron twee klasgenoten tegen: Frank en Akbar.
'Hé Maron!' riepen ze: 'We wisten niet dat jij een hondje had. Wat is hij grappig.'
'Ja, lief hè,' zei Maron trots.
Maar toen vroegen de jongens: 'Hoe heet hij?'
Maron moest snel iets verzinnen.
'Eh... Dropje.'
De jongens schoten in de lach en daarvan werd het hondje heel wild. Hij blafte en sprong om iedereen heen.
'Wat is hij grappig,' zeiden de jongens weer. 'Weet je wat ... zullen we morgen bij jou komen spelen?'
Yes, dacht Maron, maar nog steeds vertelde hij niet dat Dropje niet van hém was. Ze liepen samen verder, want ze moesten toch dezelfde kant op. Zo kwamen ze langs een ijssalon.
Frank bleef staan.
'Mjam!' zei hij en likte zijn lippen af.

Maron haalde het doosje met dropjes uit zijn zak.
'IJs heb ik niet,' zei hij, 'maar wel dropjes, alsjeblieft.'
Alle drie namen ze er een.
'Lekker,' zei Frank. 'Maar toch zou ik ook wel graag een ijsje willen.'
Net toen hij dat zei, kwam de baas van de ijssalon naar buiten. 'Mag ik jullie wat vragen?'
Ja, knikten ze alle drie.
'Weet je,' zei de man. 'Ik heb vanmorgen een enorme berg ijs gemaakt, maar door die regen zijn er weinig klanten geweest. Nu heb ik een heleboel over. Morgen is dat niet zo lekker meer. Hebben jullie soms zin in een gratis ijsje?'
De jongens schoten in de lach. Maar tóén dacht Maron: hier gebeurt iets vreemds. Telkens als je zo'n dropje neemt en je wilt iets graag, dan gebeurt het ook. Dit is geen toeval meer. Zouden het soms ... een soort wensdropjes zijn?
Vlug at hij zijn ijsje op en toen zei hij tegen Frank en Akbar: 'Nu moet ik rennen, anders krijg ik op mijn kop. Maar morgen zie ik jullie weer, tot dan!'
Hij rende naar huis en Dropje rende de hele weg mee.
'Net op tijd!' zei zijn moeder, toen ze de voordeur opendeed. 'Kom maar vlug, het eten staat al op tafel.'
Toen pas zag ze Dropje.
'Wat een grappig hondje!' riep ze uit.

Maron vertelde het hele verhaal, maar over de dropjes zei hij niets. 'Mag hij mee naar binnen?' vroeg hij.
'Ben je mal,' antwoordde zijn moeder. 'Die hond is niet van ons. Hij moet terug naar zijn eigen baas. Hup, zoek het baasje,' zei ze tegen Dropje en ze deed de deur dicht.
Ik wil tóch dat Dropje binnenkomt, dacht Maron.
Hij ging naar de wc en daar stak hij vlug een dropje in zijn mond. 'Ik wil dat Dropje wél in huis mag,' wenste hij.
Op dat moment kwam zijn vader thuis.
'Hai Maron,' zei hij, 'weet je dat er een hondje voor ons huis zit? Het lijkt net alsof hij naar binnen wil.'
Maron vertelde alles nog een keer. 'Maar mama vindt het niet goed dat hij binnenkomt,' besloot hij.
'Dat vind ik een beetje zielig,' zei zijn vader. 'Ik stel voor dat we hem nu binnenlaten. Na het eten bellen we het asiel, daar weten ze wel hoe ze zijn baasje moeten vinden.'
Dat wil ik zéker niet, dacht Maron, dus hij zei: 'Ik ga nog even naar de wc.'
Maar nu had zijn moeder er genoeg van. 'Je bent zojuist nog geweest, Maron,' zei ze. 'We gaan nu eerst eten.'

Ze zaten nog aan tafel toen er aangebeld werd.
Marons moeder ging opendoen. Bijna meteen kwam

ze weer terug. 'Het is een mevrouw,' zei ze tegen Maron. 'Ze zegt dat ze voor jou komt.'
Samen met Maron liep ze terug naar de voordeur. Op de stoep stond ... de vrouw uit het stadspark. Toen ze Maron zag, riep ze meteen: 'Ja, jij bent die jongen die tegen me aan botste!'
Ze keek zo vals dat Maron er zenuwachtig van werd.
'Het gebeurde per ongeluk,' zei hij.
'Daar geloof ik helemaal niets van,' zei de vrouw venijnig, maar gelukkig zei de moeder van Maron toen: 'Mevrouw, mijn zoon liegt niet.'
'O nee?' zei de vrouw ongelovig. 'Nou, heb jij dan misschien toen ik weg was nog iets gevonden? Een doosje? Dat zat ook in mijn tas en nu ben ik het kwijt. Heb jij dat meegenomen?'
Maron keek naar de grond. Hij schudde zijn hoofd.
'Nee, ik heb helemaal niets gevonden,' zei hij.
De vrouw wees met een puntige vinger naar Maron.
'Ik geloof er niets van!' siste ze.
Nu werd Marons moeder boos.
'Mijn zoon liegt nooit.' zei ze. 'En nu moet u gaan, ons eten wordt koud.' Ze deed de deur dicht.
Maron was er niet gerust op. Hij had geen trek meer.
'Ik voel me niet lekker,' zei hij.
'Ik zie het,' zei zijn moeder. 'Ga maar vast naar bed.'
'Ho-ho! En die hond dan?' vroeg zijn vader. 'We zouden toch het asiel bellen?'

'Dat is vast al dicht,' zei Marons moeder. 'Weet je, voor één nacht kan dat hondje wel hier blijven. Morgenvroeg bellen we naar het asiel.'
Dat wil ik zeker niet, dacht Maron. Hij holde naar zijn kamer en daar propte hij drie dropjes tegelijk in zijn mond.
'Ik wil niet dat Dropje weggaat,' wenste hij hardop. 'Ik wil dat hij míjn hond wordt. Dropje moet áltijd bij me blijven.' Hij verstopte het doosje onder zijn kussen en toen ging hij slapen.

Midden in de nacht werd hij wakker. Wat was dat, hoorde hij iets? Hij ging rechtop zitten. Toen zag hij dat zijn gordijn bewoog.
Help, er kwam zomaar een vogel zijn kamer binnen! Een zwarte vogel, met felle ogen en een grote, gele snavel.
'Kaa-kaa!' riep hij.
Maron schoot onder de dekens. Hij deed net of hij sliep, maar dat hielp niet. De vogel kwam gewoon op de rand van zijn bed zitten.
'Kaa-kaa!' riep hij steeds harder. 'Kaa-kaa!!'
Maron kon het niet langer verdragen. Hij pakte het doosje met dropjes onder zijn kussen vandaan en legde het voor de vogel neer.
Nog één keer riep de vogel: 'Kaa-kaa!' Toen pakte hij het doosje op met zijn snavel en vloog het raam uit,

de donkere nacht in.
Maron klapte het raam vlug dicht. Hij sprong terug in bed en sliep weer in.
Toen hij de volgende morgen wakker werd, dacht hij meteen aan de dropjes. O nee, dacht hij. Als ze maar niet weg zijn! Misschien was het alleen maar een droom, ik hoop het maar. Hij voelde onder zijn kussen. Nog eens en nog eens …
Het doosje was echt weg. Zijn wensdropjes, hij was ze kwijt!
Even werd hij heel verdrietig, maar net op dat moment hoorde hij gekrabbel aan zijn kamerdeur. Hij deed die open en ... Dropje sprong recht in zijn armen.
Maron legde zijn wang tegen de zachte vacht van het hondje. Vanaf dat moment vergat hij dat hij ooit dropjes gevonden had.

Vandaag eten we vis

Met een tas vol boodschappen liep Meike achter haar moeder aan. Telkens als haar moeder stilstond bij een marktkraam, moest Meike ook stoppen. Iedere keer werd haar tas zwaarder.
Meike had absoluut geen zin om boodschappen te doen, maar ze moest wel.
'Ik kan niet alles alleen,' zei haar moeder altijd. 'De boodschappen zijn tenslotte ook voor jou.' Daarom moest Meike elke zaterdag mee naar de markt.
Haar moeder vond boodschappen doen wél leuk. Haar twee tassen waren groter en voller dan die van Meike en nog steeds had ze niet genoeg. Ze waren al bij de groentekraam geweest, ze hadden kaas en aardappelen gekocht, bloemen, koekjes, olijven en nog veel meer! Toen kwamen ze langs de viskraam. Haar moeder snoof: 'Mmm, ze hebben hier makreel!' en ze liep er meteen naartoe.
'Nee mama, geen vis kopen!' riep Meike. Maar haar moeder lachte: 'Doe niet zo raar, Meike, vis is ontzettend gezond en lekker.'
'Lekker? Ik vind het vies,' mopperde Meike.
'Lékker,' zei haar moeder nog eens. 'Ik ga de makreel straks meteen klaarmaken. Dan eten we er salade bij

en boterhammen. Mmm, ik krijg nu al honger!' Ze stopte het pakje met makreel in Meikes tas. Daardoor werd Meike nog bozer.
'Het stinkt vreselijk,' zei ze, maar haar moeder was alweer doorgelopen.
'Nu hebben we wel genoeg!' riep Meike haar na. 'Dit krijgen we nóóit allemaal mee op de fiets.'
Haar moeder keek naar de drie volle tassen. 'Ja, je hebt gelijk,' zei ze, maar bij de volgende kraam stopte ze meteen weer. 'Let jij even op de tassen, Meike?' vroeg ze. 'Hier hebben ze altijd van die leuke dingetjes.' Ze begon meteen in een berg kleren te graaien. Ze bekeek alle broeken en truien. Ze kocht niets, maar toch keek ze tevreden toen ze zei: 'Nu hebben we alles volgens mij, laten we maar gaan.'

Ze moesten eerst weer de hele markt over om bij hun fietsen te komen. Meike sjouwde achter haar moeder aan. Het was intussen nog veel drukker geworden. Het leek wel of het hele dorp die ochtend naar de markt was gekomen.
'Ik haat dit!' riep Meike.
Plotseling stond haar moeder stil, zomaar midden op het pad.
'Rosa!' riep ze. 'Rosa, joehoe!'
Een stukje verderop stond Meikes tante bij een marktkraam waar je lappen stof kon kopen.

‘Hoi!’ riep Meikes moeder. Ze wurmde zich met haar tassen tussen de mensen door.
‘Blijf dicht bij me!’ riep ze naar Meike. ‘Anders raak je me misschien kwijt.’
Maar Meike had absoluut geen zin om nog langer te wachten. ‘We zouden naar huis gaan!’ riep ze haar moeder nijdig na.
Daar trok die zich niets van aan.
‘Kom op, Meike,’ zei ze. ‘Ik mag toch wel eventjes met mijn zusje kletsen? Let jij op de boodschappen?’
Vervolgens draaide ze haar rug naar Meike en begon tegen tante Rosa te praten.
Wat een onzin, dacht Meike. Haar moeder deed net alsof ze haar zusje nooit zag. Maar afgelopen zondag waren ze nog met zijn allen bij oma geweest.
‘Mama!’ riep ze keihard.
Verschrikt keken haar moeder en tante Rosa op.
Maar toen Meike zei dat ze naar huis wilde, werd haar moeder zelf ook nijdig. ‘Doe niet zo overdreven,’ zei ze en daarna praatte ze gewoon door.
Nou ja, dacht Meike, moest ze hier dan de hele tijd blijven wachten? Ze keek om zich heen.
Over alle marktkramen hing een groot wit zeildoek, bijna tot aan de grond. Tussen die kramen was telkens een open plekje, zag ze. Daar paste ze precies tussen. Met de drie tassen installeerde ze zich op de grond.

Ergens in het zeildoek zat een klein scheurtje, ontdekte ze toen, en daarachter zag ze iets. Een groen oog staarde naar haar.
Daar onder de kraam zat een kind! Dat kind bleef de hele tijd naar haar kijken. Meike kreeg er de kriebels van.
'Kijk liever naar jezelf!' riep ze eerst en toen: 'Wat is er, waarom zeg je niets?' Zonder te knipperen bleef het oog naar haar kijken. Een antwoord kreeg Meike niet.
Het was trouwens wel een fijne verstopplek, daar onder de kraam. Een geheime hut: daar kon niemand op de markt je zien.
Opeens kreeg Meike een goed idee.
'Mag ik meedoen? Ik wil me ook verstoppen,' fluisterde ze. 'Dan kom ik bij je in je geheime hut zitten. Ik zal je niet verraden.' Nog steeds kreeg ze geen antwoord, maar nu snapte ze dat tenminste. Ze keek naar de rug van haar moeder. Die stond nog steeds druk te praten. Ze had helemaal niets in de gaten. Eigen schuld, dacht Meike. Vlug tilde ze het doek een stukje omhoog en glipte eronder.
Even zag ze helemaal niets, maar al snel raakte ze gewend aan het donker. En wat ze toen zag …
Het was helemaal geen kind dat daar onder de marktkraam zat. Het was een kat, een pluizig oranje poezenbeest met grote groene ogen. Hij zag er lief uit.

VISHANDEL

‘Kom maar, poesje, kom dan,’ fluisterde Meike. Ze kroop naar de kat toe en aaide hem over zijn zachte velletje. Terwijl ze aaide, voelde ze zijn botjes onder haar hand. Hij was erg mager.
‘Krijg jij wel genoeg te eten?’ vroeg ze. ‘Heb je geen huis met een baasje?’
De kat antwoordde niet, hij bleef maar door de scheur in het zeildoek zitten loeren.
‘Waar kijk je toch steeds naar?’ vroeg Meike. Ze keek ook die richting uit en schoot in de lach. Nu begreep ze wat er aan de hand was.
‘Oké, jij je zin,’ zei ze.
Tussen de twee kramen stonden nog steeds de boodschappentassen. De tas die ze nodig had, stond vlakbij, dat rook ze meteen. Ze tilde het zeildoek weer op en trok de tas naar zich toe.
De groene ogen van de poes werden groter, toen Meike het pakje met vis uit de tas pakte. En op het moment dat ze het papier openvouwde, begon hij luid te spinnen.
‘Alsjeblieft,’ zei Meike. Ze hield de makreel voor zijn snoet.
Eerst aarzelde hij even en keek van de vis naar Meike en weer terug. Hij snuffelde nog een paar keer, maar toen begon hij gretig te eten.
Hij likte en hapte, hij smikkelde, smulde en peuzelde. Hij genoot. Meike keek ademloos toe.

Ze had geen idee hoelang het duurde, maar opeens was de vis helemaal verdwenen. De poes had alles opgegeten; er was geen kruimeltje meer over.
'Goed zo,' zei Meike. Ze gaf de poes nog een aai en toen kroop ze haar geheime hut uit.
Ze was maar net op tijd. Juist toen ze weer tussen de boodschappentassen zat, kwam haar moeder naar haar toe lopen.
'Sorry, Meike, sorry,' zei ze. 'Ik heb veel te lang staan praten. Ik was je helemaal vergeten. En jij zit hier zo lief te wachten. Sorry hoor, lieverd. Jij krijgt van mij een lekker ijsje, dat heb je wel verdiend.'
Voor ze wegliep, keek Meike nog een keer naar de marktkraam. Achter de scheur in het zeildoek zag ze nu twee groene ogen. Die ogen keken naar haar en één daarvan gaf een knipoog.

Wat maakt dat nou uit!

Mees had een probleem: alle kinderen van zijn klas waren groter dan hij, zelfs de meisjes. Soms plaagden zijn klasgenoten hem daarom. Ze noemden hem Ukkie of Kleine in plaats van Mees. Op een keer, toen ze op het schoolplein met elkaar aan het voetballen waren, had iemand geroepen: 'Uit de weg, muis!' De anderen moesten daarom lachen en sindsdien noemden ze hem allemaal Muis.
Mees vond dat helemáál niet grappig. Toch zei hij dat nooit. Dat durfde hij niet. Hij lachte een beetje, maar in samenspelen had hij dan helemaal geen zin meer.
Als hij na schooltijd thuiskwam, vroeg zijn moeder: 'Heb je een fijne dag gehad, Mees?'
'Ja, het was leuk,' zei hij dan altijd, verder niets. Eén keer had hij verteld wat de kinderen zeiden, maar toen had zijn moeder gezegd: 'Kom op, Mees, dat is toch niet zo erg?'
Daarna vertelde hij er nooit meer wat over. Hij zei gewoon: 'Ik ga spelen!' en dan holde hij meteen naar buiten. Elke dag, zelfs als het keihard regende.
Mees speelde niet zomaar ergens op straat. Hij had een geheime boomhut op een landje. Zo op het eerste gezicht leek het een heel gewoon veldje. Er

stonden bomen en struiken, verder niets. Maar drie van die bomen stonden zó dicht opeen dat hun takken elkaar raakten. Daar tussen het gebladerte had Mees zijn geheime hut gemaakt. Voor de zekerheid had hij een bordje opgehangen. *Verboden Toegang* stond erop en zijn naam natuurlijk: *Mees.*
Elke dag speelde Mees bij zijn boomhut en telkens verzon hij andere spelletjes. Hij was de ridder en de boomhut was zijn kasteel of hij was de zeerover en de boomhut was zijn piratenschip.
Er waren nooit andere kinderen om mee te doen met zijn spelletjes. Dat was natuurlijk wel jammer, maar zo plaagde tenminste niemand hem.

Op een morgen zei de juffrouw tijdens de rekenles: 'Muis, jouw beurt.'
Alle kinderen schoten daardoor in de lach; de juffrouw zelf ook. Ze zei meteen: 'O, sorry Mees, dat ging per ongeluk.'
Maar daar meende ze helemaal niets van, want ze lachte gewoon door.
Later die dag werd het nog vervelender. Op het schoolplein tilde een meisje hem plotseling op. Ze draaide met hem rond en riep naar de anderen: 'Is hij niet reuzeschattig?'
Mees had er schoon genoeg van!
Toen hij die dag uit school kwam, kon hij aan niets

anders meer denken. Hij lustte zijn boterhammen niet en had zelfs geen zin om naar zijn boomhut te gaan. Ik háát school, dacht hij. De school, de juffrouw en alle kinderen. Iedereen! Hij ging op zijn bed liggen en stompte op zijn kussen: 'Stom-stom-stom!' Hij was razend, vooral op zichzelf. Hij moest het pesten laten ophouden, maar hoe?
Zijn moeder kwam een paar keer bij hem kijken.
'Ben je niet lekker, Mees?' vroeg ze. 'Heb je ruziegemaakt op school?'
'Nee, er is helemaal niets aan de hand,' zei Mees.
Maar de rest van de dag bleef hij op zijn kamer en zijn sombere bui ging niet over.

Die nacht had hij een echte nachtmerrie: de juffrouw had zijn tafeltje weggehaald. Op zijn plaats had ze een kooi neergezet.
'Dat is een betere plek voor een muis!' lachte ze.
Toen Mees de volgende ochtend wakker werd, wist hij één ding zeker: hij ging niet terug naar school. Tenminste, niet voordat hij een plan had bedacht. Iets waardoor dat geplaag in één klap was afgelopen.
Toen hij dat had besloten, sprong hij meteen uit bed.
'Gaat het beter met je, Mees?' vroeg zijn moeder toen hij beneden kwam.
'Veel beter,' zei Mees en dat meende hij.
Vroeger dan anders ging hij de deur uit. Hij had

wel zijn rugtas bij zich, maar niet om naar school te gaan. Buiten keek hij eerst goed om zich heen, want niemand mocht zien wat hij ging doen. Daarna holde hij precies de verkeerde kant uit. Bij het landje aangekomen, keek hij nogmaals goed om zich heen, vervolgens glipte hij tussen de takken door en holde naar zijn boomhut. Maar daar was iets vreemds aan de hand. Hij kon de deur niet open krijgen. Mees duwde en trok uit alle macht. Plotseling schoot de plank toch los en Mees duikelde in het gras. Wat gebeurde er toch allemaal?
Opeens stak iemand zijn hoofd naar buiten door de deuropening. Een jongen! Er zat een vreemde jongen in zijn hut!
'Hallo Mees, kom erbij,' zei de jongen vrolijk.
Nou ja, hij deed net alsof het zijn eigen hut was; dat ging Mees toch echt te ver. Hij vergat helemaal om bang te zijn.
'Kom eruit!' schreeuwde hij. 'Kom eruit of ik sleur je naar buiten! Dit is *míjn* hut!'
De jongen klauterde meteen naar buiten. Hij lachte: 'Wat maakt dat nou uit?'
Eerst wilde Mees nog razender worden, maar toen zag hij zoiets eigenaardigs dat hij zijn kwaadheid onmiddellijk vergat. Die andere jongen was precies even groot als hijzelf en bovendien leken ze als twee druppels water op elkaar. Het was net alsof Mees in

een spiegel keek. Hij kon bijna niet geloven wat hij zag. Zelfs hun sproeten zaten op dezelfde plaats!
'W.. wie ben jij?' vroeg hij.
De jongen haalde zijn schouders op.
'Gewoon, Kees!' antwoordde hij.
'Kees?' riep Mees en hij barstte in lachen uit. 'Kees en Mees, Mees en Kees ... we lijken wel een tweeling.'
Mees wilde van alles over Kees weten. Hoe oud was hij? Tien, net als Mees! Hield Kees ook zo van brood met pindakaas? Jazeker! En vond hij spruitjes met eieren ook zo vies? Natuurlijk! Verzon hij ook zijn eigen spelletjes? Was hij goed in rekenen? Kon hij ook goed hardlopen?
Elke keer antwoordde Kees: 'Ja-ja!' Alles, echt álles was precies hetzelfde. Mees werd steeds vrolijker.
Alleen toen het over school ging, was er opeens verschil. Kees snapte niets van wat Mees daarover vertelde.
'Groot of klein, wat maakt dat nou uit?' zei hij.
'Plagen ze je daarom? Wat ontzettend flauw! Waarom zeg je niet dat je dat niet wilt? Dan houden ze vast wel op!'
'Dat durf ik helemaal niet,' fluisterde Mees. 'Dat is nou juist het probleem.'
'Ik durf eigenlijk alles,' zei Kees. 'Ikzelf zou dat geplaag wel kunnen stoppen.'
'Als dat zou gebeuren ... daar zou ik alles voor over

hebben,' zuchtte Mees.
'Alles?' vroeg Kees. 'Als het mij lukt om het pesten te laten ophouden, mag ik dus kiezen wat ik wil en dan krijg ik dat? Weet je het zeker?'
'Absoluut,' zei Mees.
'Oké,' zei Kees. 'Dan ga ik vandaag in jouw plaats naar school.' Hij deed de rugtas van Mees om en holde naar de uitgang van het landje.
'Kom mee,' riep hij, 'dan zijn we misschien nog net op tijd. Maar let erop dat niemand jou ziet!'
'Wat ga je doen?' vroeg Mees, maar Kees was al tussen de takken door gekropen. Mees sloop achter hem aan.

Ongezien kwamen ze alle twee bij de school. Mooi op tijd: de les was nog niet begonnen, alle kinderen speelden buiten.
Kees liep onmiddellijk het schoolplein op. Mees hield zijn adem in: hoe ging dit aflopen? Hij verstopte zich achter het hek. Daar stonden een paar grote struiken. Niemand kon hem zien staan, maar zelf zag hij alles wat op het schoolplein gebeurde.
Kees liep rechtstreeks naar het gedeelte van het schoolplein waar gevoetbald werd.
'Ik wil ook meedoen,' zei hij en hij ging vlak bij het doel staan.
'Ga eens aan de kant, ukkie!' riep de doelman.

Maar Kees ging niet opzij. Hij zei alleen: 'Hou op, ik heet Mees!'
'Muis zul je bedoelen,' lachte de jongen. 'Dit is geen plek voor kleintjes. Uitkijken, Muis!' Hij schopte de bal keihard naar Kees toe, maar Kees ging niet opzij. Vlak voordat de bal hem zou raken, sprong hij naar voren. Hij klemde de bal tussen zijn beide voeten en stuiterde als een kangoeroe over het plein. Met grote sprongen ging hij het schoolplein over.
'Kijk nou!' riepen de andere kinderen. 'Moet je eens zien wat Mees doet!' Ze holden achter hem aan.
'Ja, kijk naar mij!' riep Kees. Hij stuiterde naar het hek. Daar liet hij de bal pas los. Met een grote sprong stond hij boven op het hek.
'Oh!' riepen de kinderen.
Kees liep over de smalle bovenrand van het hek. 'Wie is hier klein?' vroeg hij.
Naast de school stond een enorme boom. Kees pakte de gladde stam beet en klauterde omhoog.
'Oh!' riepen de kinderen weer.
De bel was allang gegaan, maar niemand lette daarop. De juffen en meesters kwamen naar buiten om te zien wat er aan de hand was. Ze schrokken van wat ze zagen: Kees was bezig het dak van de school op te klimmen.
'Mees! Kom van dat dak af voor je naar beneden valt!' riep zijn eigen juffrouw. En de directeur riep:

'Bel de politie, bel de brandweer!'
'Dat hoeft niet!' riep Kees. 'Ik kom er zo vanaf, maar eerst wil ik weten wie hier het allergrootste is!'
'Mees! Mees!' joelden alle kinderen.
Kees maakte een toeter van zijn handen en daardoor riep hij: 'Groot of klein, wat maakt dat nou uit?'
Daarna gleed hij van het dak naar beneden. Via de boom kwam hij bij het hek. Hij liep over de rand van het hek tot hij vlak bij de plek was, waar Mees zich verborgen had. Daar sprong hij eraf, het ging allemaal heel snel. Hij stopte de rugtas in Mees' handen. Toen duwde hij hem bij het hek vandaan, het plein op. 'Nu is het jouw beurt,' fluisterde hij.
'Nee, Kees, wacht, wat moet ik dan doen?' vroeg Mees. Maar toen hadden de andere kinderen hem al ontdekt. 'Goed gedaan, Mees!' riepen ze. Ze deden alsof hij een held was.
Ook de directeur kwam naar hem toe. Hij pakte Mees bij zijn arm. 'Wij moeten eens even met elkaar praten,' zei hij streng, en hij nam Mees mee naar binnen.
Voor de andere kinderen begon toen gewoon de les, maar niemand lette goed op. Ze wachtten allemaal op Mees. Eindelijk kwam hij terug naar zijn klas.
Zijn juffrouw vroeg: 'En Mees, vertel eens ... ?'
Mees lachte een beetje verlegen. Hij zei alleen maar: 'Ik heb beloofd dat ik zoiets echt nooit meer zal doen.'

Na schooltijd wilden alle kinderen wel met hem afspreken, maar Mees zei: 'Nee, een andere keer. Ik moet nu ergens heen.'
Hij holde naar zijn landje, kroop tussen de takken door en rende naar zijn boomhut.
'Kees!' riep hij, 'Kees!' Maar hij kreeg geen antwoord: de hut was leeg. Toen ontdekte hij dat zijn naambordje weg was. Er hing een nieuw bordje. *Dit is mijn hut!* stond erop. Mees slikte, dus dát was wat Kees van hem wilde. Mees had het kunnen weten ... de hut was dus niet meer van hem. Hij kon maar beter naar huis gaan ...
Toen Mees opstond, viel het bordje op de grond. Nu merkte hij pas dat er ook iets op de achterkant geschreven stond: *Van Kees of van Mees? Wat maakt dat nou uit!*
Mees begon te lachen. 'Nu snap ik het!' riep hij over het veldje. 'Het maakt helemaal niets uit!'
Daarna holde hij naar huis.

Vanaf die tijd had Mees geen problemen meer. Nog steeds was hij de kleinste van de klas, maar als iemand hem daarmee plaagde, riep hij: 'Wat maakt dat nou uit?' Dan was het meteen afgelopen.
Nu was het ook niet lastig meer om vrienden te krijgen. Na school ging Mees bijna altijd naar zijn boomhut op het landje. Soms alleen, maar meestal

met zijn nieuwe vrienden. Dan bedachten ze samen spelletjes. De boomhut was een raket of een kasteel of een eiland.
'Van wie is deze boomhut nou eigenlijk?' vroegen zijn vrienden soms. 'Van jou?'
'Nee, niet van mij,' zei Mees dan. 'Hij is van een vriend, maar wat maakt dat nou uit?'

Berdie Bartels

Een kist vol schatten

De opa van Dax is ziek. Hij gaat dood. Daar is niets aan te doen, heeft de dokter gezegd. Samen met opa timmert Dax een kist. Daar kan hij opa in bewaren. Niet echt natuurlijk, maar de herinneringen aan opa.
Als opa doodgaat, is de schatkist propvol. Wat heeft Dax allemaal in deze kist vol schatten gestopt?

Met tekeningen van Mariëlla van de Beek

Een beetje ziek

Vreemde oppas

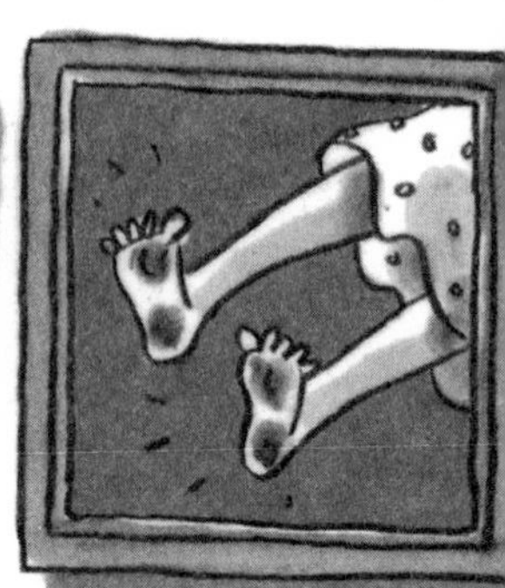

Daar geloof ik niets van

Verdwaald